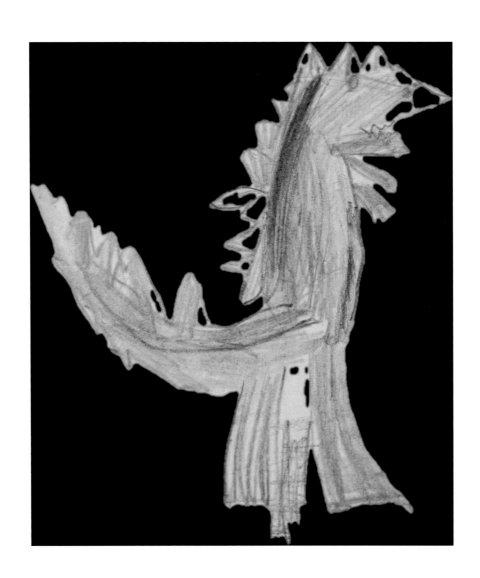

놀이터에 간 공룡

놀이터에 간 공룡

발 행 | 2024년 6월 10일
저 자 | 권민채
펴낸이 | 한건희
펴낸곳 | 주식회사 부크크
출판사등록 | 2014.07.15.(제2014-16호)
주 소 | 서울특별시 금천구 가산디지털1로 119 SK트윈타워 A동 305호
전 화 | 1670-8316
이메일 | info@bookk.co.kr

ISBN | 979-11-410-8838-5

www.bookk.co.kr

놀이터에 간 공룡

권민채 지음

사랑하는 민채야,

네가 첫 번째 동화책을 완성했다니 정말 자랑스럽구나! 이렇게 멋진 이야기를 상상하는 것만으로도 엄마는 너무 기쁘고 감동했단다. 공룡 놀이터에서의 모험을 읽으면서, 너의 상상력과 창의력이 얼마나 풍부한지 다시 한 번 느낄 수 있었어.

네가 앞으로도 이렇게 멋진 이야기를 많이 만들어 나가길 바라. 너의 삶도 멋진 이야기가 가득하길 바란단다.

글을 쓰는 것은 세상과 너의 생각을 나누는 멋진 방법이란다. 앞으로도 꿈을 꾸고, 그 꿈을 글로 표현하는 멋진 작가가 되길 응원할게.

사랑해, 민채야.

24. 6. 6 엄마가

오늘은 공룡에게 특별한 날이에요.

공룡은 7살이 되었거든요.

7살이 된 공룡은 혼자 놀이터에 가기로 했어요.

정말 신나는 모험이 될 깃 같아요.

공룡은 기분이 좋아서 아침부터 콩콩 뛰었어요.
"오늘은 무슨 재미난 일이 기다리고 있을까?"

놀이터에 도착한 공룡은 가장 먼저 시소를
발견했어요. 시소에 올라티고 올라갔다 내려갔다
하니 정말 재밌었어요.

"이제 그네를 타볼까?" 공룡은 그네로
달려갔어요. 높은 곳까지 올라가니 신나는 바람이
얼굴을 스쳤어요.

그네를 타면서 공룡은 하늘을 날아다니는
기분이었어요. "정말 멋져!"

그네를 타고 나서 공룡은
모래놀이를 하기 위해 모래밭으로 갔어요.
모래로 성을 쌓고, 만들었어요.

모래놀이를 하다가 친구 공룡이 다가왔어요.

"같이 놀래?" 친구와 함께 더 큰 성을 쌓기

시작했어요.

둘이서 협력하니 멋진 모래성을 완성할 수
있었어요. "우리는 정말 좋은 팀이야!"

이번엔 철봉에 도전해봤어요. 공룡은 팔 힘을
써서 철봉을 매달렸어요.
"조금 어려워도 해낼 수 있어!"

철봉에 매달리면서 공룡은 자신의 힘을
시험해봤어요.

"내가 이렇게 강해질 줄이야!
난 이제 일곱 살이라고!!"

놀이터 한편에는 회전목마도 있었어요. 공룡은
회전목마를 타고 빙글빙글 돌았어요.
"어지럽지만 재밌어! 난 할 수 있어."

회전목마가 멈춘 후에도 공룡은 잠시 동안

어지러웠지만, 그 기분이 좋았어요.

놀다 보니 배가 고파졌어요.

공룡은 엄마가 혼자가는 놀이터 모험을

축하한다며 싸준 도시락을 꺼내 맛있게 먹었어요.

점심을 먹고 나니 힘이 솟았어요.

공룡은 이번엔 나무 오르기에 도전했어요.

높이 올라가니 멀리까지 보였어요.

나무 꼭대기에서 바라본 풍경은 정말 멋졌어요.

"이렇게 멋진 곳이 있다니!"

나무에서 내려와 보니 어느새 놀이터에는

친구들과 동생들로 가득했어요.

다른 친구들과도 인사를 나눴어요.

함께 놀다 보니 시간 가는 줄 몰랐어요.

친구들과 함께 공을 차며 축구도 했어요.

"여기 패스!"

공룡은 열심히 뛰었어요.

공룡은 축구를 하면서 친구들과 함께 노는 게
재밌다는 걸 알았어요.
"함께 하면 이렇게 즐겁구나!"

즐거워.

그네를 타면서 멀리서 들려오는 친구들의
웃음소리가 들렸어요. "이곳은 정말 멋진 곳이야."

모두들 같이 줄을 서서 놀이기구를 타면서
질서도 배웠어요. "차례를 지켜야 모두가 즐거워!"

공룡은 미끄럼틀을 다시 타고 싶었어요. 그래서
친구와 함께 미끄럼틀을 타러 갔어요.
같이 타고 내려오다가 다칠 뻔 하기도 했어요.
"우리 위험하니깐 한 명씩 타자."

놀이터에는 다양한 색상의 놀이기구가 있었어요.

친구들과 색이름 맞추기 놀이도 했어요.

빨간색 미끄럼틀, 파란색 그네, 노란색 시소...

공룡은 모든 색을 자세히 봤어요.

"세상에 이렇게 다양한 색들이 있구나!"

친구들과 함께 놀이기구를 타는 동안, 공룡은 새로운 놀이 방법도 배웠어요. "이렇게도 놀 수 있구나!"

놀이터 한편에는 작은 연못도 있었어요. 공룡은
연못에서 물고기를 관찰했어요.

연못 속 물고기들을 보면서 공룡은 다른
생명체의 아름다움을 느꼈어요.
"정말 신비롭고 멋져!"

해가 지기 시작했어요. 놀이터는 여전히 밝고
즐거웠지만, 공룡은 조금 피곤해졌어요.

공룡은 집으로 돌아가기로 했어요.

오늘 하루 동안 정말 많은 것을 경험했거든요.

집에 도착한 공룡은 엄마에게 오늘 있었던
이야기를 들려주었어요. "오늘 혼자서도
잘했어요!"

엄마는 공룡을 꼭 안아주며 말했어요. "우리
룡룡이 정말 잘했구나. 앞으로도 혼자서 할 수
있는 일이 많아질 거야!"

공룡은 엄마의 칭찬에 기뻐서 활짝 웃었어요.
"엄마, 나 정말 재미있었어!"

잠자리에 들기 전, 공룡은 오늘의 모험을
떠올리며 행복한 기분에 빠졌어요.

"내일도 놀이터에 가고 싶어!" 공룡은 내일의
모험을 기대하며 잠에 들었어요.

잠든 공룡의 얼굴에는 행복한 미소가 가득했어요.

공룡의 꿈속에서 다시 놀이터로 돌아가 친구들과 놀았어요. "꿈에서도 즐거워!"

다음날 아침, 공룡은 밝은 햇살을 맞으며
기지개를 켰어요. "오늘도 멋진 하루가 될 거야!"

새로운 친구들과 함께 새로운 놀이를 배우고,

함께 웃으며 놀았어요.

7살은 정말 멋져.

끝